就能雕塑窈窕身材！

序 美，并快乐着

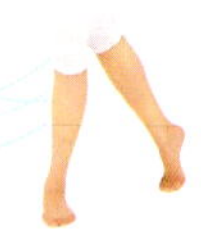

爱美之心，人皆有之。每位女士都向往美、热爱美、追求美，都希望自己拥有健康的身体、迷人的容貌、玲珑的曲线。一位身材匀称、曲线迷人、举止优雅、谈吐大方的女士，总使人如饮醇酒般地迷醉。

追求时尚崇尚完美的E时代，越来越多的瘦身、纤体中心涌现，五花八门的减肥、瘦身产品更是层出不穷，让人无法抗拒。窈窕淑女，君子好逑，试问有哪个女人会心甘情愿地成为“水桶腰”“西洋梨”？

但是，我们女人往往会因为遗传因素、发育状况、生儿育女、环境污染、压力等的影响，导致无法拥有理想的体型。至于肥胖，更是我们女人的天敌喔，它除了让女性魅力大打折扣外，高血压、心脏病、高血脂等等疾病也会随着年龄的增长接踵而来，严重影响身体健康。所以，减肥的意义不仅仅是为了追逐“美丽”！

只是，要减去多余脂肪并非易事。为了傲人身材，有人百般努力却收效甚微；也有人轻松为之，却事半功倍，这说明选择的方法是最重要的。不同的减肥方法都会有各自的利弊，运用到不同的人身上更会起到绝对不同的减肥效果。

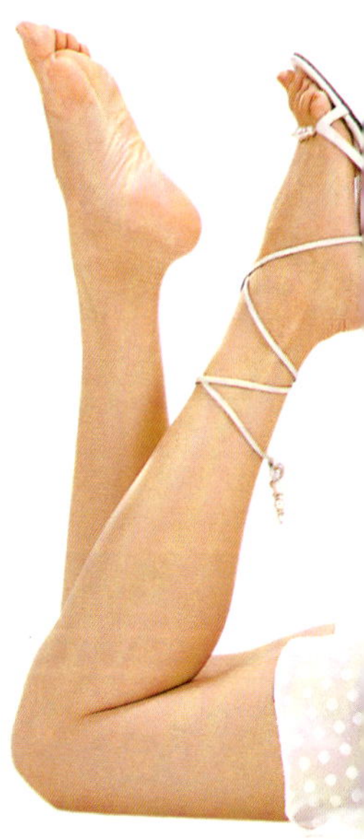

在多年的健康形体教学身涯中，许多学生经历过从水桶腰、直桶腰、小蛮腰的“腰女变身三部曲”，过程真是值得回味！也教过许多由“太平公主”变身为“挺挺玉女”的学生，当然也看过由少女肚变成宰相肚而呼天抢地的后悔女！还好上天是公平的，想要拥有好身材，并不是达官显贵、上市公司大老板们才有的专利，只要你愿意动、健康吃就能轻松拥有，不信的话，你不妨看看你身边一个月薪三千元热爱运动的上班族和一个月盈利上千万的公司总裁，谁的身材比较好呢？相信答案已昭然若揭了！

许多名人都是借由运动与饮食的配合，由水桶腰化成水蛇腰的实例，保证令你羡慕不已。例如香奈儿时尚设计大师Karl Larqerfeld、麦当娜、小甜甜布兰妮、钟丽缇、郑秀文、赵薇、章子怡等，这些身价不凡的名人，持久地让自己保持年轻和美丽，就是这套书所提供的方法以运动加上饮食，双效合一，效果无敌！

我为大家带来的这套毛巾操，正是时下已吸引全世界爱美女士眼球的全新运动方式，渴望与众不同的你一定会抢鲜试！就算是你还没有建立运动的习惯、或是根本没有时间运动，也一定会藉由毛巾所特有的熟悉感、亲切感、安全感、放松感而彻底地爱上它！经过我的精心设计和编排，这套毛巾操通过对胸部、腰部、臀部、腿部四个重点部位的锻炼来达到塑身美体的目的，每天15分钟以上的运动就可以让你拥有充满弹性的胸部、纤细柔软的腰肢、浑圆结实的臀部、修长匀称的美腿。怎样？现在，就开始吧！只要拿起你家里的大毛巾、小毛巾，就能享受健康又美丽的快乐生活！

在本书中，我还为爱美的女士提供了一系列的能收到事半功倍的训练方法，比如家居流行瘦身法，它会是那些工作压力大，没有足够时间锻炼的上班族的好帮手；饮品瘦身法则告诉无法拒绝美食诱惑的你，如何既能享受美食又不会吃胖了身体……图文并茂的用心呈现，让你能够轻松学、简单做、健康吃，并享受身为女人的喜悦！

轻松减脂毛巾操

DOING THE TOWEL EXERCISES WILL MAKE YOU HEALTHY AND ENERGETIC

健康活力毛巾操

毛巾操不花钱，局部塑身一级棒！

想要有个苗条的好身段，秘诀除了正确的节制饮食及适量运动之外，至于局部肥胖，最常见者如小腹太大、双腿太粗、腰部不够细，这些都是窈窕曲线的顽固劲敌，就要靠适当的肌力训练来对付。

简易的健康活力毛巾操就是你的最佳选择，只要有条毛巾和一个让双手打开的空间就足够了。

活力新体验—— 毛巾操的功效

The efficacy of towel exercises

简易的居家毛巾操既不用花你什么钱（只要有条毛巾就够了），也用不到太大的空间（只要双手打开的距离），最重要的是，它能让你在做运动时更省力，这样你的局部瘦身计划就更容易成功了！选择毛巾操，坚持一段时间，窈窕曲线绝对让你美丽看得见哦！

一、舒解筋骨

利用两只手一起做毛巾操，可以活动筋骨与关节，当肌肉与筋骨一旦获得舒解时，加诸在身上那股无形的压力也将顿时减少，对恢复精神与消除疲劳有一定程度的帮助。

二、按摩作用

利用毛巾上的纤维对皮肤摩擦时，产生静电与按摩的作用，并让皮肤发热，直接刺激血液循环，促进新陈代谢作用，尤其是刺激背部的穴道，会让身体更健康而且更有活力。

三、除去角质

皮肤的角质层会受到外在的刺激而失去原有的紧密度，变得粗糙老化容易剥落所以需要代谢，藉由毛巾操就可除去老化角质层，让皮肤表面显得光滑细致，恢复健康的色彩。

恋恋毛巾的5大优势

Top 5 advantage

毛巾对不习惯运动的人、想变化运动内容的人及忙碌而没有时间的人优势很多。

1 毛巾能够替代器械

因为把毛巾拉开，可产生互相抗衡的力量，给肌肉充足的负荷力量，并且有紧缩的效果。

2 运动的形式容易操作

使用毛巾可使身体稳定，运动姿势正确的话对身体非常地安全。特别是腰部脆弱的人可减少顾虑，容易操作。

3 毛巾可成为一种助力

做伸展运动时，身体较为僵硬的人可使用较长的毛巾，不需要勉强就可以将身体伸直。

4 一个人也可简单地做按摩的动作

利用毛巾的伸张力做按摩的动作，就算一个人也可轻松地操作，效果十分显著。

5 毛巾是运动的伙伴

把毛巾结成球状（毛巾球），将毛巾扭转起来使用，可扩大运动的幅度，兴趣也会倍增。

健康小贴士

毛巾干擦，增强免疫力！

沐浴后以干毛巾擦身体，可以大大增强人体免疫功能哦！

当洗完热水澡后，因体内血管扩张，体表水分蒸发时会吸取体热，加上皮肤与空气接触面积大，体内温度容易由皮肤散发到周围的空气中，尤其是在秋季，温差较大，身体也较容易受到风寒。所以沐浴后，如果以干毛巾擦拭身体，身体会因擦时的磨擦生热，产生保暖效果。

另外，以干毛巾擦拭身体，除了可以将体表的水分擦干，以免水分因蒸发时吸收更多的体热之外，当毛巾磨擦肢体及躯干时，也会因体内血液循环加速，而能将热源输送到身体各处，身体的免疫力自然就会提升。所以，可别小看毛巾的生活功能，它除了可以擦拭身体外，还可雕塑体型及提升人体的自然免疫力呢！

曲影提醒——不能忘弃的练习重点！

The notice of doing exercises

1 决定毛巾的长度

各式各样的运动中，毛巾的长度已被指定。但每个人可以依据自己身体的大小及僵硬度调整，不须勉强自己，请随着自己的需求做适度的选择。

2 掌握住运动的重点

为了提高效果，请把握住各项运动的正确动作。

3 一边注意锻炼中的肌肉一边运动

在此运动中，要经常注意锻炼中的肌肉是否有紧张感，这是非常重要的。

4 运动时不用憋住呼吸

肌肉觉得紧张时，可一边数数字，并在伸直肌肉时一边吐气一边操作。

5 二人一组做运动时，可彼此交换

二人一组做运动时，注意对方的反应，并可一边交谈，一边运动，不可有勉强自己做拉张运动的情况。

6 为了长时间运动，高高兴兴地无师自通吧

边放音乐边运动的话，身体也会随着韵律轻松地摆动。做有氧运动时，可选择节奏快速的曲子，做伸展运动则可选择旋律优美的曲子。

选对你的毛巾尺码

To choose the fit towel for you

依据使用的目的不同，毛巾有各式各样的尺寸及材质。此处使用的毛巾是宽度33～36cm×长度80～90cm的浴用毛巾，以及宽度34～40cm×长度100～120cm的运动用毛巾。没有特别指定毛巾的情况时，请使用浴用毛巾。身体较僵硬的人适合使用较长的运动毛巾。但是，毛巾的宽度不需要太宽，质地也不用太厚，弹性佳，容易用手握住即可。基本上，不用勉强自己去做的动作为最佳。

2 自修馆

TO SLIM YOUR
FIGURE BY YOURSELF

瘦身美人

美丽，从了解自己开始!为了达到最好的塑身效果，建议你做这套操时，先了解自己的体型。回答完我的问题，选择合适的塑身方法，让你瞬间健康靓丽、风情万种!

THE TOWEL EXERCISES

THE TOWEL
B·G·B

脂肪测验30问

30 questions about the fat

体脂及测验30问：请你在下列30项的测验问题中，按照自己的真实状况选择喔！

*1	已经发育完全，而且在3年内对身材甚不满意。
*2	体重没变化，但体形却变差走样了。
*3	曾多次减肥，反弹不断。
*4	天生丽质，身材不需要保持就很棒了。
*5	每天坐在椅子、沙发上的时间超过4小时。
*6	体重依旧，腰却粗厚起来，肚子也凸起来了。
*7	过了20岁，胸部已感觉到下垂松弛了，然而做运动也救不回来，也懒得做运动了。
*8	下半身越来越松弛肥胖了。
*9	后大腿胖到用手一捏就出现橘皮组织。
*10	生产后，腰围及身材8个月后都尚未恢复回来。
*11	越吃越瘦，气色很好。
*12	没有吃到十分饱胀感是不会放下筷子的人。
*13	觉得自己是喝水也会胖，呼吸也会肿的人。
*14	很不喜欢运动，怕流汗、懒…借口一大箩筐。
*15	觉得运动对身材及健康帮助不大，本钱不够。
*16	体力跟两年前相比大不如前。
*17	如果停车位离你要去的地方走路要一分钟以上，就觉得很远、很不方便、很累的人。
*18	对自己的身材完全死心，胖瘦都无所谓。

* 19	无聊、郁闷时会自然而然地拿东西来吃，舒解压力。
* 20	明明知道吃的食物会胖，卡路里很高，还是忍不住地吞下肚。
* 21	皮肤越来越松弛、老化，甚至出现眼袋及细小的皱纹了。
* 22	以前是运动健将，但是已经停止运动半年以上，身材走样但肌肉还是有些硬梆梆的人。
* 23	睡前3小时内都习惯吃夜宵。
* 24	无论油炸、甜食、饮料都来者不拒，甚至无法抗拒。
* 25	为了身材、外表与人际关系，常常心神不宁，有忧郁症的倾向。
* 26	以前买的衣服再也穿不下去，挤不进去了。
* 27	男友、朋友、同学、同事、家人、上司都劝你该要减肥了。
* 28	忙到没有时间做塑身操，每天却有半小时讲电话、看电视、上网、发呆者。
* 29	不在乎他人的眼光，觉得自己胖得很可爱、很健康、很快乐。
* 30	一年四季中手脚常冰冷，体质虚寒。

A **只有1～5项的人，恭喜你！只要保持现况，你会继续美丽瘦下去！**

B **6～15项的人，现在注意还来的及喔！**

C **16～22项的人，别迟疑了，你的美丽及身材都在拉警报了喔！**

D **23～30项的人，快救救自己喔！再不运动、注意饮食，臃肿肥胖的老态就离你不远了！**

你是什么体型？

which type is your body?

仔细地自我DIY检查一下！

1 骨瘦如柴仙女型（如：歌手孙燕姿）

2 虎背熊腰肌肉型（如：天后麦当娜）

3 前凸后翘魔鬼型（如：日本女星藤原纪香）

4 肚里撑船中广型（如：香港名主持人沈殿霞）

5 完全走样松垮型（如：美国脱口秀女星罗珊）

6 忽胖忽瘦变化型
（如：《泰坦尼克号》女主角凯特·温斯蕾）

7 混合排列综合型
（如：英国知名女演员茱蒂·丹琪）

骨瘦如柴仙女型

瘦小的你，很受怜香惜玉的男性们疼爱并激发他们的雄性激素，但是心中那股“我要前凸后翘”的声音，偶尔会像鬼魅般在你身边徘徊，尤其是当自己喜欢的人、偶像或是男友特别喜欢那种喷火型美女时，你可能会更自卑、更无奈。但有些骨瘦美人儿因为前胸贴后背，只选择宽大的T恤及中性服装，久而久之性向也会渐渐男性化。

塑身重点

利用腹部塑身操，把瘦小却直桶的腰身雕塑得更有型，让日渐明显纤细的腰身凸显葫芦型的体态美，这是修饰下半身的妙方。让看似骨感、平坦的臀部结实饱满起来，这对很难长肉肉，却能改良体型的骨感美人来说，是最好的解决之道。利用身材比例，让别人眼中的你骨架虽小，却有丰润的感受，毕竟惜肉如金的你是不能再瘦下去了！骨感美女最大的好处是少有食物上的困扰，可是在塑身操上绝对不能懒惰喔。

Strong Back and Waist

在同性朋友中，其实你的人缘极佳，有时还会误认是同志或女中豪杰大姐大，可是虎背熊腰的你外表虽然开朗乐观，其实私下你也想像其他小女子一样温柔撒娇。然而想要一份真爱的你，真命天子却始终尚未出现，你偶尔会怨恨“以貌取人”的世俗目光。别担心，改变永远不嫌晚喔！

虎背熊腰
肌肉型

塑身重点

不要再追究到底是什么原因让你拥有像金刚超人般的外型，却只有豆腐渣大小的自信了。这种体型的人对大腿、小腿及手臂的塑身操都可以先停止了，运动也是如此。

平时不必像个女英雄般的武装自己，给点时间让你坚硬如山的肌肉软化。在等待肌肉组织变柔和的同时，你的要点是利用腰部毛巾操的方法，让腰变得更细、更具线条；同时把要改善的胸部，利用毛巾操让它们能集中坚挺、有弹性却不下垂外扩，而非丰满却松垮；再来就是把连自己都不满意的臀部，花比别人多一倍的时间雕塑出形状来，慢慢地你会发现，看似坚硬但形状却令你捶胸顿足的臀部也会一天天的风情万种起来。

The Muscle

这类美女深受男性的青睐，除了死党之外，是多数同性朋友的眼中钉。若你有机会和朋友的男友单独相处时，那你们的友谊就要开始接受挑战了。不过身材一级棒的你有机会在工作上一枝独秀，只不过要注意的是，面对同性忌妒的眼光记得收敛一点，否则人生路上缺乏同性朋友的支持可是一大损失喔！

The Lady Perfect Curve

塑身重点

真是令人羡慕的完美体型，可是随着岁月的催化，独领风骚的你要做的就是，食量要保持不变，切记千万不能大吃大喝，当你发现所食过量时，快选择本书中任何一种瘦身食谱，让自己在一个星期内回复到正常的体重。为了让你在30岁，甚至40岁还能保有前凸后翘的风采及身材，我建议你一星期3次，将毛巾操认真地做上几回，每一项每次15分钟的毛巾操可是不能心存任何侥幸的，否则变成苹果型或肚里撑船中广型，你自己会因无法接受而崩溃的。

性格懒散惯了的你，以为一个月运动个两、三次就已经不得了了，全然活在不够积极的国度里，美丽的新资讯及流行风向你都视而不见，觉得遥不可及、可有可无。如果是已婚女性，或已经跟同一位男友相恋多年，这无疑是替婚姻路埋下一颗地雷，不知将在何时引爆？通常善良的你在吃的方面，不管东西好不好吃也都完全吃光，对自己不够严厉的态度是发胖的最大主因。

肚里撑船 中广型

塑身重点

怎么办呢？你试过数不清的减肥方法了，算算有好几年了吧，但是无论胖瘦，身材却没有一天让你满意过，外表看起来也都比实际的年纪还要老好多。可喜的是这类型的体态跟更肥胖的体型来比较，距离理想完美的体型容易多了些。对于这种身材，我建议你好好挑选一组由我为你精心设计的瘦身泡澡方，而且要持续瘦到标准体重后。在雕塑身材的部分，所有的塑身操你都要亲自去体会并锻炼，一个星期至少要有4次，特别是胸部的塑身及坚挺操，因为这类体型的人很容易忽略了胸部塑身操的重要性，而使得胸部下垂、松弛，这可是女性很迷人的部位，也很容易走样，可千万别忽略了，尤其是18岁以上的人。

完全走样松垮型

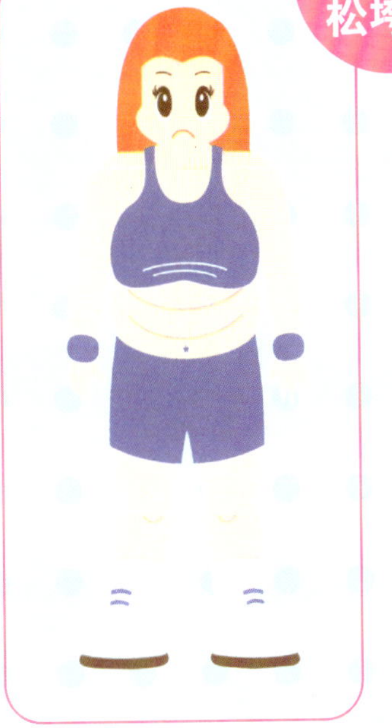

看看自己的肥肉一发不可收拾地挂在腰上、腿上、手臂及肥屁股上，你不知用过了多少方法想瘦下来，有时甚至想想干脆放弃算了，继而以大吃大喝来发泄情绪。忙碌的你，一整天可能没有任何一刻是为你自己忙的，劳碌命都快变成你的代名词了，可是要找个真心的朋友，不管男性或是女性你可能都没有。所以现在开始救救自己吧，加油喔！或许有些辛苦、孤单、漫长，但是一定要相信自己喔！你可别笑喔，这种体型的人不但走几步路就气喘如牛，有时候要排气，那股气要冲出肥臂之间还真是阻力重重，被你左右满溢出来的臀部肥肉夹得毫无出路呢！

塑身重点

首先要了解自己肥胖的起因到底是什么？若是代谢失调就要到医院检查病理原因，一定要把身体调理好。除此原因外，医学证明正确的饮食观念及运动塑身操都能让你达到健康及减肥的目标。

其实最重要的是你真的有下定决心吗？还是意志不坚，短时间内看不到效果就放弃了呢？千万不要放弃，我永远在你们身边支持你们的！胃口不小的你，选择书中各式瘦身汤或本书里的食谱时，除了选择自己喜欢的口味外，千万记得不能过量喔，零食跟夜宵更是绝对禁止的，每天要喝至少1500～2000毫升的水。塑身操部分，每一项都不能少，等体重瘦下约8千克后，腰部、大腿及臀部、手臂的塑身操更要急起直追，加倍塑形，让肥胖松弛的体型能慢慢往理想中的身材迈进。对于皮肤的保养，在塑身过程中也要加以照顾喔，否则瘦了身子，却弄丑或弄皱皮肤也是件美中不足的事呢。

忽胖忽瘦变化型

年纪尚轻的你真是个幸运儿，仗着年轻的本钱随意和朋友大吃大喝，一摊接着一摊，随时胖个1～4千克是很正常的事，但奇怪的是你不必运动或是挨饿，只要你心情不好、胃口不佳或是忙得忘了吃东西时，体重就自然回复到原来数字。我建议你，趁现在年轻时定下一个有规律的饮食习惯，否则等到了一定年纪之后，想要胖回来或是瘦下去都会让你吃足苦头的，大叹悔不当初甚至还摸不着头绪。

塑身重点

当你的体重数字像升降梯一样始终无法停留在理想位置时，有时胖一点，有时瘦一点，哎呀！忙碌又食欲十足的你，就算把容易肥胖的食物放进口中咀嚼时，脑中有声音说，提醒你这口食物吞下去肥肉就长出来了，但是你还是照吃不误，这就是你体重一直不定的原因了。但被老天眷顾的你，很幸运地是体重上上下下，而不是节节高升，但这样可千万不能大意喔！这颗幸运星也会因为你的不懂珍惜而消失的呢。拥有并实践正确的饮食观念是首先要做的功课，本书中的瘦身食谱，你可以选择你喜欢的，照着食谱进食，在塑身操中当然也不能掉以轻心，照着塑身重点做吧！

先找出你身材不完美的部分，再针对这些部分对症下药，勤做毛巾操。对于身材上完美的部位，也要活动一下喔，让血液循环活化每一个毛孔及细胞。对于特别不满意的部位，通常是胸部、臀部、大腿、手臂、腹部要比其他的部位更要用心雕塑喔。在其他方面，用书中所有的使用精油或中药来泡澡，让全身的淋巴系统活络，这类体型对于皮肤的弹性与保养要格外地注意。

Lady's Figure Often Changes

当你发现自己有着水桶腰，可是脚却是乌仔脚，或是上半身的你明明是瘦骨如柴仙女型，可是下半身却跟个欧巴桑一样肥胖臃肿，或是无法用上述任何一种体型来归类你的身材，那你就是这种混合排列的综合体型了。知道自己的体型后，现在就跟我一起看看你的塑身方向。

塑身重点

Mix Compou

看过以上所列的体型，你会觉得有些像你，可是有些又不像你，对了！你若不是以上所列的体型，那现在说的混合排列综合型就非你莫属了。混合体型一般来说都不会太胖，但是看起来身材的比例就是很不协调，穿衣服时更是让人苦恼，就是穿不出衣服的设计品位及个人风格。买衣服的时候更是麻烦，明明臀部塞得下的，大腿部分却像是要撑破似的。有人则是已拥有一双美腿但肚子大大的再配上一个直桶腰，好像两个不同的人却接在一起似的，很不适合穿连身裙、连身套装、紧身服装，或是下半身的线条让你不敢尝试迷你裙、热裤、紧身衣及每一季的流行服饰等。很痛苦对不对？这种体型的人在瘦身过程中，往往会吃足苦头，你完全找不出一种适合自己的方法。比例不协调肥胖的还是存在着，除了骨架的问题之外（不管人体如何减肥，骨骼的形状是无法改变的），这种体质只要选择正确的塑身操，身材是绝对可以改善的。虽然时间会比一般人更为漫长，但变身后的效果绝对会让你惊喜不已的，可按照书中我为大家准备的针对不同部位的毛巾操，选择自己不足的部位加强练习，肯定会成功的，加油！加油！

ILLUSTRATED
THE TOWEL EXERCISES

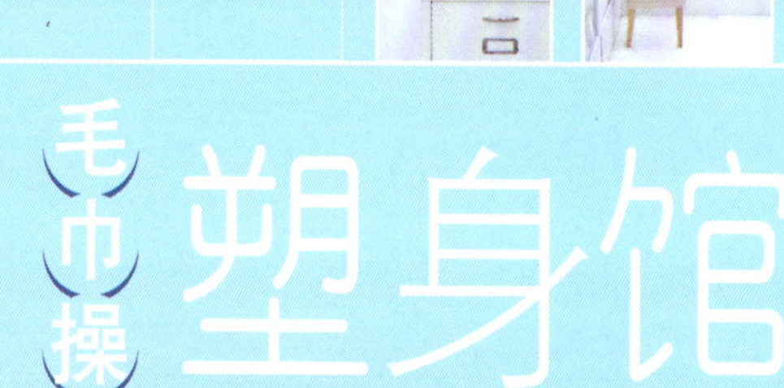

3 毛巾操塑身馆

我所编排的四组毛巾操，通过对胸部、腰部、臀部、腿部四个重点部位的锻炼来塑造完美身材。当然，每个人所想要雕塑的部位都不尽相同，有的美眉腰肢够细，只想要挺挺美胸；有的美眉可以大胆地秀出玉腿，但腰腹的肉肉却让自信大打折扣……现在，你完全可以找到属于自己的运动处方啦，每天15分钟以上的毛巾操便可以让你拥有充满弹性的胸部、纤细柔软的腰肢、浑圆结实的臀部、修长匀称的美腿！

打造傲人的身材、塑造完美的体态，让我们现在就开始吧！

The towel

丰胸

温香软玉，丰盈酥软，我觉得女人的美胸真是世间最完美的艺术品。没有人能否定女人美胸的诱惑；没有人能摆脱对美胸的依恋。无论是男是女，都深明美胸所能引发的欲望；无论有情无情，美丽的乳房总能激发燃烧的激情。

总之，丰满美丽的乳房象征着生命的源泉，是美和爱的标志。一对柔美的乳房是每一个女性所不可缺少的。但是，遗传、种族、发育、营养状况、生育或疾病等原因导致影响了我们女性的胸部美。此时需要采取措施来拯救已受伤的乳房，如果你的美胸是非常完美的，也要注意保养、预防的喔！

毛巾健胸运动组合，通过毛巾拉伸产生的助力，有规律地训练、刺激胸部，使胸部脂肪组织细胞保持活力，胸部不会松弛、下垂；通过球状毛巾的助力，可将跑到腋窝下的胸部脂肪重新拢到胸前，对增加胸部厚度、扩大胸部非常有效；运动后再辅以温和的按摩，以加快胸部血液循环、疏通乳腺，令乳腺具备强大的营养吸收能力。只要你能在愉悦的心境中坚持这组运动，美胸的效果出乎你的想像！

美臂运动

Beautify arms

毛巾的长度：从胸部中间开始向旁张开到手指尖端的长度。

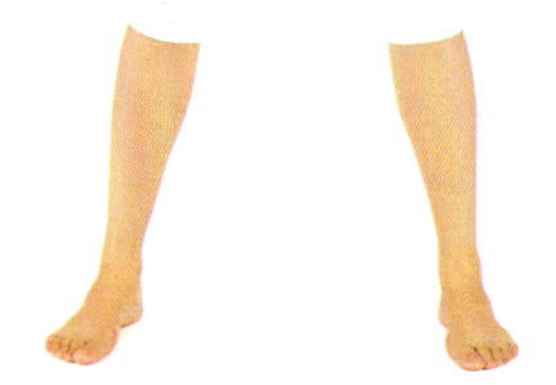

两脚张开，略比肩宽，拿着毛巾向左右两旁张开。

曲影提醒

重心一定要放在踏出的前脚上，注意毛巾不能松脱。

一只脚向前踏出，并将重心放在此脚上，两手腕向后方挥动举起做扩胸运动，不超出自己的体能范围动作，保持约10秒。

3 把毛巾放在背后，重心放在后脚上，抬高前脚的脚跟。

重点：背脊伸直并扩胸。

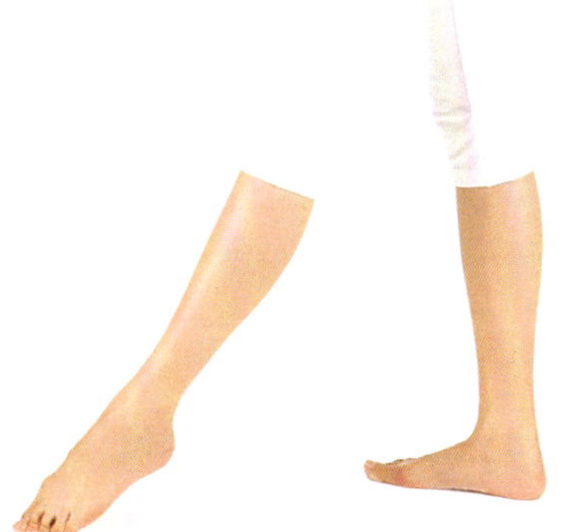

4 一边吐气，上半身往前弯曲，并将双腕举高到自己可承受的地方，保持原状10秒。

曲影提醒

保持毛巾一直在紧绷的状态下。

作用

尽量将上半身伸直，调整胸形，可美化手臂曲线，消除肩膀酸痛。

弹力丰胸运动

Spring and strengthen breast

毛巾的长度：从胸部中间开始向旁张开到手指尖端的长度。

1 毛巾放在地板上，在毛巾上方用手按住作为一个标准姿势。

2 一边吐气，并将胸部慢慢靠近地板，保持约10秒。

曲影提醒

两侧手肘伸直，膝盖的角度则保持90度直角状。

3 臀部靠近脚跟，一边吐气并保持此姿势约10秒钟。

曲影提醒

松懈手腕和肩膀，保持轻松的状态。

作用

将手腕、肩膀、胸部等部位伸直，使胸肌得到锻炼。

俯地挺身运动

Pronate and straight your back

毛巾的长度：以双手相隔的距离为标准(毛巾越长，对胸部的锻炼效果越大)。

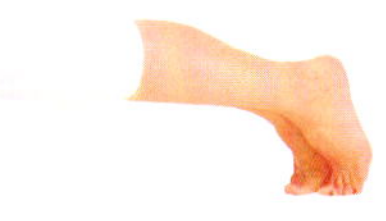

1 将毛巾拉直放在地上，双手按在毛巾的两端俯卧在地上，双脚相交与地面垂直。

2 背部倾斜，成一条直线，双肘弯曲，双膝着地，稳住重心，身体不要摇晃。

3 双肘伸直，双脚相交与地面垂直。

作用

可调整胸部形状，增加胸部厚度。

曲影提醒

1.腰部不要上翘，应收腹进行练习。
2.双肘屈成直角。
3.感到难度太高的话，可趴在地上进行，直到能反复练习20次了。
4.边呼气，边伸直双臂。

扩胸运动

Expand breast

毛巾的长度：从胸部中间开始向旁边伸直到手指尖端的长度。

将毛巾绕到颈部后方，在肩膀处把毛巾向旁边拉开，另一侧的手肘则举到和肩膀同高之处，保持约10秒。

曲影提醒

毛巾不能松弛，尽量拉张开。

手腕向旁边伸直，不能弯曲，上下挥动，约4~5次。换边练习8次。

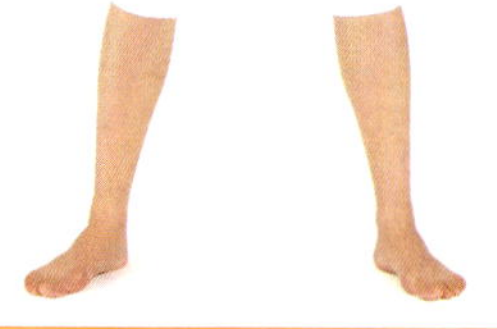

曲影提醒

同时移动左右两侧手腕，肩膀关节较僵硬的人在身体前方操作也可以。

作用

扩展胸部，防止胸部下垂。可促进肩膀和肩胛骨周围的血液循环。

胸部伸展运动

Stretch breast

毛巾的优点：易于调整姿势，能对肩部轻松地加以刺激并增强伸展效果。

1 垫两层软垫，将背部靠在软垫上，仰卧，双腿微屈。

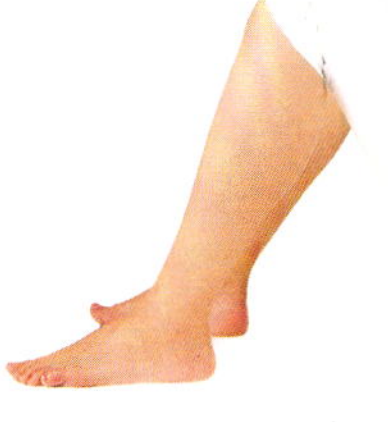

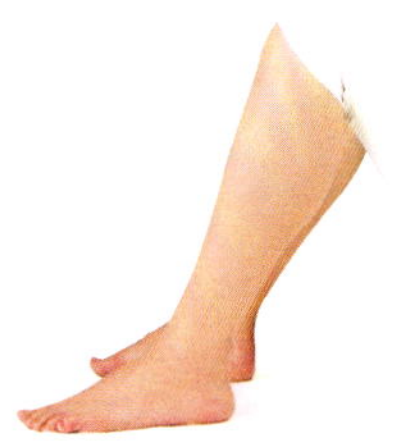

2 双臂伸直，并向头顶举伸，伸到适当高度便可停止。

曲影提醒

1.头部靠在软垫上(肩部较硬的人，头部可以离开软垫)。
2.双臂伸直举向头顶，并尽力向后伸展，然后停止。

作用

可伸展胸部及肩部肌肉，使全身得到轻松的伸展，令人心情舒畅，也能矫正不正确的姿势。

手掌压揉扩胸运动

Press and knead breast with hands

毛巾：将毛巾打结成球状。

1 双手压住毛巾球，并屈肘，将球置于胸前。

毛巾的优点：用毛巾代替弹簧垫，更易于挤压。

2 用力挤压毛巾球，边数数边做环绕动作，每8秒钟做一周环绕动作，并左右交替练习。

曲影提醒

1.不要憋住呼吸，要边数数边做动作。

2.按照手掌用力的要领，全力向侧挤压毛巾球。

3.双臂弯曲在身前，以头到心窝的距离为直径，做环绕动作。

作用

可对胸部整形，防止胸肌下垂，美化胸部曲线。

自然丰胸运动

Strengthen breast naturally

毛巾：将毛巾打结成球状。

1 挺胸站直，离胸部约10厘米处，将毛巾球用手心夹住。

两手用力地压紧夹住的毛巾球，一边数数字，一边压球8次。

3 最后的8秒钟用尽全力继续压紧。

曲影提醒

不中断呼吸并一边数数。

作用

增加胸部厚度，对扩大胸部很有效。

胸部防垂运动

Prevent drooping down breast

毛巾的优点：毛巾的长度可弥补手长的不足，使动作顺利地完成。

1 坐在椅子上，将毛巾绕在椅后，然后握住毛巾的两端并在手背上缠一圈。

2 双臂伸直，上身微微前倾，使脸部向上仰，然后停止。

曲影提醒

1.轻轻拽拉毛巾并挺身。

2.根据肩部的柔软程度调节毛巾的长度。(柔软者用短毛巾，僵硬者用长毛巾)。

作用

防止胸部下垂，使臂部及胸部的肌肉得到伸展，能消除肩部周围淤血以及肩酸疼等症状。

The towel exercises to slim waist

杨柳细腰毛巾操

腰部曲线是身体曲线美的关键，腰身若恰到好处，即使胸不够丰满，臀不够翘，视觉上仍给人曲线玲珑、峰峦起伏的美感。

窈窕淑女，君子好逑，如今是女人皆求。裙衫飘飘，婀娜体态尽显风光，赏心乐事当属风光占尽的苗条如柳的玲珑俏佳人。粗腰者心头急似火：节食、减肥药、减肥茶、拼命健身出汗，招数使尽求苗条，也不管是否符合科学，结果未能如愿，反而带来诸多不良后果，可谓“衣带渐宽终不悔，为美消得人憔悴”。其实，要想拥有窈窕细腰，必须注意日常锻炼，才不会让你的细腰工程事倍功半。

毛巾操被称作“抗衡有氧运动”。以下这套毛巾瘦腰运动组合，利用毛巾的助力，通过腹部肌肉运动，紧缩腹部的整体肌肉，使小腹变得平坦、结实；而有氧运动能将背部下方、腰两侧堆积的脂肪去除。而毛巾特有的搓揉、按摩功能，可促进腰腹部的血液循环，加速脂肪的燃烧。只要你有恒心坚持这组运动，盈盈一握的纤细腰是指日可待的哦!

紧缩腰腹运动

Crimple waist and abdomen

毛巾：将毛巾打结成球状。

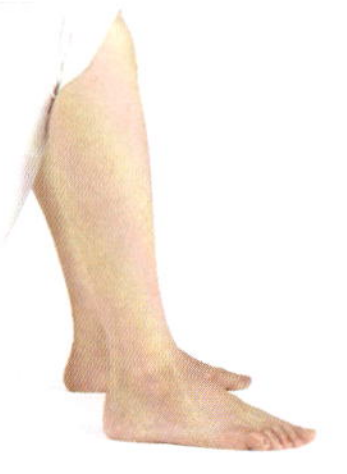

1 两膝盖弯曲并拢，将毛巾球举到头部上方。

2 手向下挥动，单手拿着毛巾球的同时，轻轻地移到另一侧膝盖，将毛巾球穿过膝盖下方交到另一双手上，如果传毛巾球觉得累的话，只是把腿抬起也是可以的。

3 换边也做同样的运动。练习8~15次。

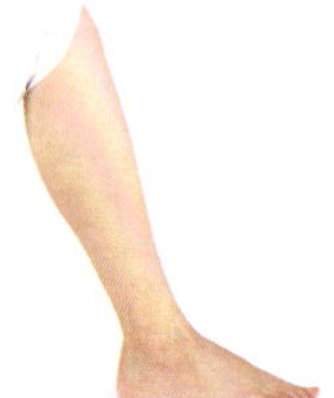

曲影提醒

将背部压在地板上，使腹部产生紧张感。

作用

紧缩腹部整体肌肉，特别紧缩腹部下方肌肉。

下腹部紧实运动

Flat lower abdomen

毛巾：身体僵硬的人请使用运动毛巾。

仰卧于地上，双膝向胸部靠拢，把毛巾跨过双膝，双手握住毛巾两端。用力屈身。

2

把双臂与双腿伸向天空，用力屈身，使双手与双腿平行，练习5~10次。

作用

减少腰部赘肉，纤细腰围，强化颈、背部肌肉。

平坦小腹运动

Flat lower abdomen

毛巾的长度：毛巾放在胸前，约腋窝到腋窝的长度。

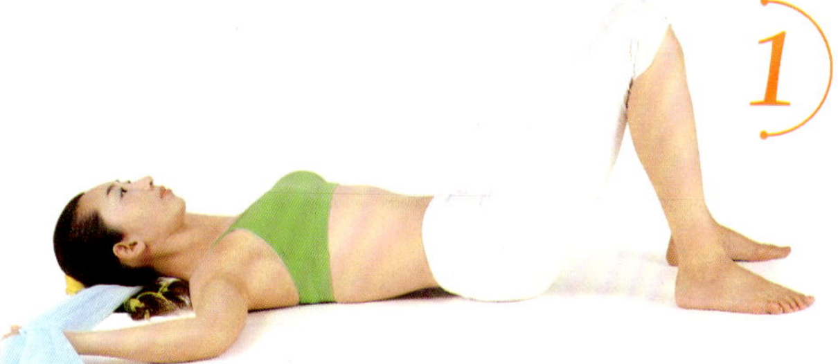

1 脸朝上仰，两侧膝盖弯曲，将毛巾放在头部下方。

2 将一边膝盖抬高尽量靠近胸部，扭动另一侧的手肘碰触膝盖，并抬高背部上方肌肉。

曲影提醒

只是用毛巾支撑头部，不需用力往上拉起，背部中间的肌肉压着地面，并将背部上方肌肉用力抬起。

3 另一侧也同样照做。练习8~15次。

作用

紧缩腹部整体肌肉，用运动来强化最有效。

扭腰塑体运动

Twist spine

毛巾：将毛巾打结成球状。

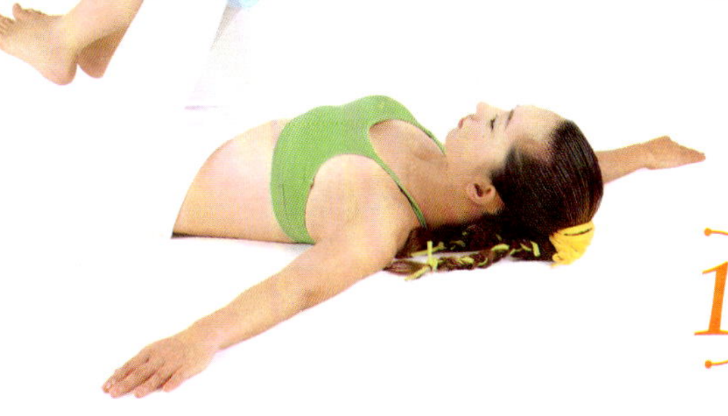

1 脸朝上，手腕向侧摊开放在地板上，将毛巾球夹在膝盖之间，尽可能将膝盖弯曲并靠近胸部。

2 将两边膝盖拉近胸部，并向旁边倾倒。

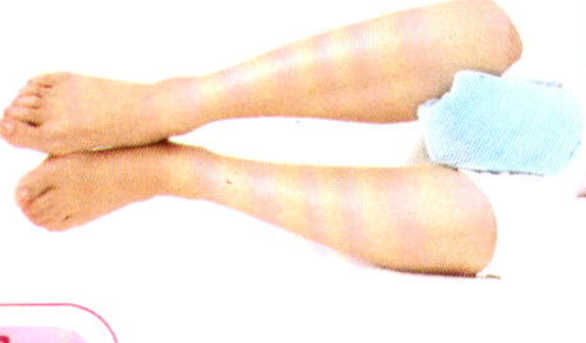

曲影提醒

脸面向和膝盖不同的方向。

3 另一边也同样照做。练习8~15次。

作用

紧缩腹部整体肌肉，用运动来强化最有效。

美背纤腰运动

Beautify back and slim waist

毛巾的长度：将毛巾绕到腰部后方，约腰边到腰边的长度。

1 趴着，两腿轻轻地打开。把毛巾移到腰部，手心朝下握住毛巾两端，把毛巾往下拉，张开固定。

曲影提醒

不拉开手肘，须靠近腹侧。

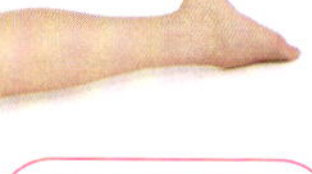

2 膝盖伸直，单脚和上半身同时挺起。

曲影提醒

腰部骨头贴在地板上，并将脚抬起。

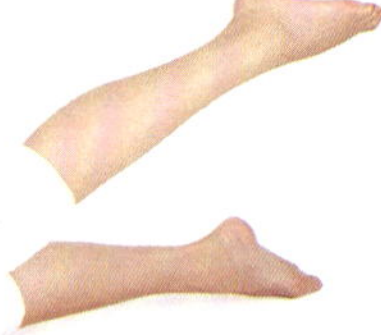

3 另一只脚也同样照做。练习8~15次。

作用

紧缩背部下方肌肉，重整腰部曲线。

侧腰伸展运动

Bend side and stretch

毛巾的长度：将毛巾绕到腰部后方，约腰边到腰边的长度。

1 盘着脚坐在地板上，在胸前将毛巾向左右两旁拉开。

2 一边吐气，慢慢地将右手腕伸高到头部正上方，保持此姿势约10秒。

3 手持毛巾与地板成垂直状，身体向旁边轻轻地倾倒。一手按在地板上，保持此姿势约10秒。

作用

将侧腰、腰部、手腕伸直，解除腰部周围的赘肉，美化腰部线条。

细而美扭腰运动

Turn waist

> **毛巾的长度**：将毛巾绕到腰部后方，约腰边到腰边的长度。

1 双腿站开，宽度和肩膀同宽，把毛巾放在背后紧紧地向两旁拉开握住。

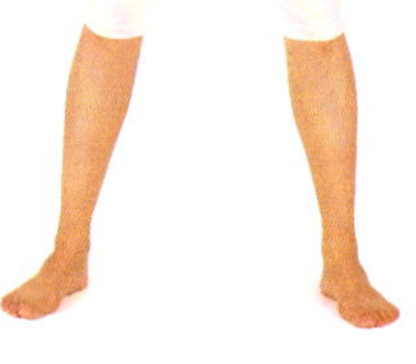

2 提高右脚的后脚跟，转动向脚尖的同时，上半身往后转动，保持原状约10秒。

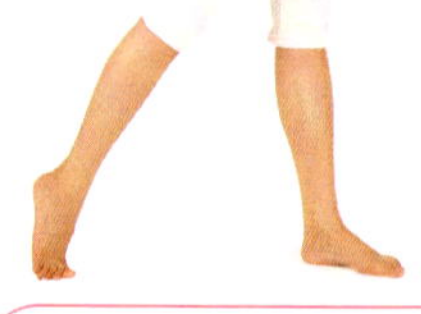

3 其次扩大脚的幅度，左膝盖微蹲，上半身向后做大幅度的扭转动作，保持原状约10秒。

曲影提醒

重要的是，毛巾始终都往两旁拉开，向后方扭转的程度至觉得舒服为止。

作用

减少腰部赘肉，纤细腰围，强化颈、背部肌肉。

侧腹的弯曲运动

Bend abdomen side

1 两脚站开约肩膀宽度，把毛巾靠着肩膀握住。

2 单膝向旁边打开抬高，为了使抬高的膝盖和手肘可以互相碰触，轻轻地将上半身往旁边倾倒。

3 抬高的腿部和脚轴斜斜地往后交叉站好，上半身则向脚轴的方向轻轻地倾倒。

作用

紧缩侧腹肌肉，雕塑纤细腰围。

The towel exercises to shape up hip

俏翘美臀毛巾操

放眼望去，满大街都是紧绷绷的低腰裤和可爱又性感的超短裙。惹火的俏臀可以使女性身材更显凹凸有致，为女性的性感魅力大大加分。那么什么样的臀部堪称最完美?挺翘、圆润和结实是美臀的三大条件，加上弹性的触感与柔嫩的肤质，结合了视觉和触感的美臀，怎能不让人感受到阵阵性感浓香，不让人浮想联翩，令众生为之倾倒呢?

如果你想当个风头最劲的两性磁铁，将男人倾慕的眼光紧紧吸附在身上，那么臀部绝对值得你细心呵护。只是东方女性的臀部大部分不够完美，有人为臀部大而烦恼，有人为臀部扁而伤脑筋。试想一个胸脯丰满挺拔，腰段细小、柔滑的女性配上一个瘪陷下垂的臀部，是如何让人觉得遗憾。长期缺乏锻炼是臀部下垂、肌肉松散的主要原因。以下这套毛巾美臀运动组合，利用毛巾拉开产生的抗衡力，给予臀部肌肉足够的负荷力量，紧缩臀肌，抵抗地心吸引力；将毛巾结成球状，可加大运动量，燃烧脂肪，减去大腿根部赘肉，抬高臀线；而利用毛巾的伸张力做的按摩动作，可促进下半身淋巴循环，赶走橘皮组织，减轻因水分和废物囤积而引起的浮肿。下定决心，持之以恒，简单而轻松的毛巾操，很快便让你拥有弹性十足的俏丽美臀!

抬臀运动

Raise the hip

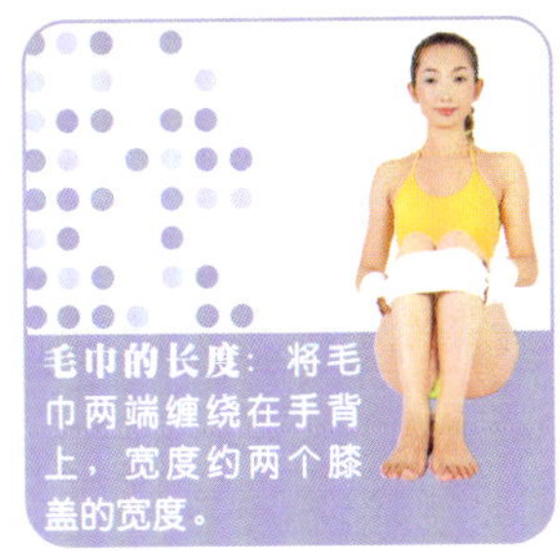

毛巾的长度：将毛巾两端缠绕在手背上，宽度约两个膝盖的宽度。

1 躺在地板上，两膝盖弯曲靠近胸部。将毛巾放在膝盖下方，并用两手在膝盖外侧固定毛巾。

2 其次，将毛巾稍微向下拉，两脚并向上摇动。

曲影提醒

两膝盖尽量向下巴靠近。

3 利用向上摇动的反动力量，扶起上半身。

曲影提醒

下巴靠近胸部，背部拱成圆形状，毛巾始终都放在前面做伸张动作，2、3的动作是依钟摆的要领轻轻重复，不需勉强身体坐起。

作用

紧实臀部肌肉，在背部、腰部加入适度力量，可解除疲劳感。

臀部紧实运动

Tighten the hip

毛巾的长度：在前部下方（背部下侧腰部以上），毛巾向两旁张开的长度及宽度恰巧是毛巾的长度。长度较长的运动毛巾比较适合。

1 俯趴在地板上打开两腿，毛巾放置在背部下方，毛巾两端向前放在地板上。

2 两手按住毛巾的两端，慢慢地吐气并挺起上半身。绝对不要勉强自己做此动作。身体较僵硬的人（无法伸直手肘者），如左方的图片做并保持10秒左右。身体柔软的人（可伸直手肘者），如下页的图片做并保持10秒。

曲影毛巾操塑身馆

曲影提醒

身体较僵硬的人（无法伸直手肘者），如A图做并保持10秒左右。身体柔软的人（可伸直手肘者），按B图做并保持10秒。

A　身体较僵硬

身体柔软　B

作用

紧实臀部肌肉，美化臀形，在背部中间及腰部加入适当的力量，可以灵活脊椎。

臀部防垂运动

Prevent drooping down the hip

毛巾的长度：感觉运动毛巾两端的长度。

俯卧在地板上，两脚轻轻地打开，用手在后方握住毛巾。

2 一边将毛巾往上拉，上半身和单脚同时向上举。

曲影提醒

伸真手腕、膝盖，毛巾向左右拉开，不能松懈。

另一只脚也同样做做看。练习8-10次。

曲影提醒

腰部脆弱者，将毛巾放在腰部，固定腰部较容易操作。

作用

紧缩背部整体和臀部肌肉，对提高臀部肌肉及防止臀部下垂很有效。

臀部锻炼运动

Workout hip

1 平躺仰卧并弯曲膝盖，在双腿膝盖中间夹住毛巾球。将双脚的脚掌平贴于地板，脚掌与臀部的距离约是30厘米左右，腰部不能悬空，一定要紧贴在地板上，调整呼吸，双手自然平放于身体两侧。

2 臀部肌肉用力向内缩，并将臀部缓缓抬离地面，但不可以让双膝间的毛巾球掉了。

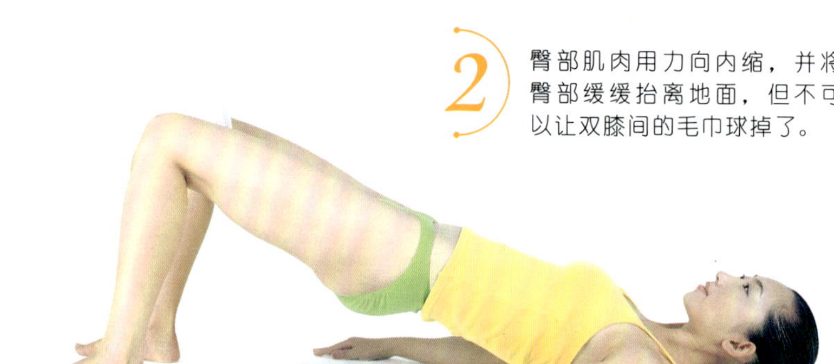

3 保持上升的姿势，将两膝夹紧再放开，最后再将臀部夹紧的肌肉放松。

放松后将臀部慢慢放下回到地面，全程中毛巾球都不能掉落。
重复10次。

作用

美化臀部曲线，伸展身体前侧。

B·G·B.

臀部圆翘运动

Hold up the hip

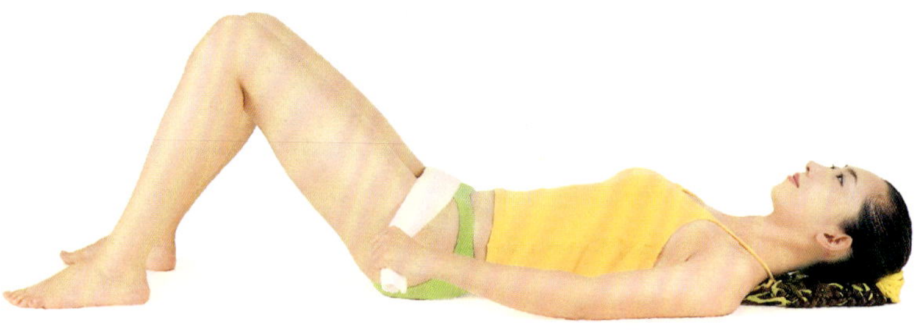

1 仰卧，屈膝双腿打开与肩宽，将毛巾平放在下腹部，双手握住毛巾两端固定住。

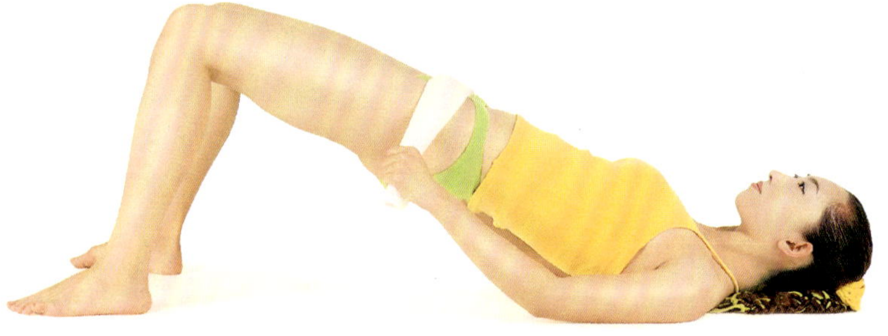

2 向上抬起臀部，臀肌夹紧，让身体呈一条直线，肚子不要凸起来。练习8次，最后以全力紧压。

曲影提醒

1.不要憋住呼吸。
2.用劲时，要尽全力使身体保持紧绷状态。

作用

调整臀部形状，使臀部上抬。

美臀塑腿运动

Shape legs

毛巾的长度：将毛巾放在腰部，量1/2腰围的长度。

1 两脚前后站开，毛巾绕在腰部，斜斜地往下压，固定在髋骨上。

2 前脚膝盖成直角弯曲，后脚则向后方站成斜线状。

3 前侧膝盖成直角弯曲。练习8～10次。

曲影提醒

伸直脊背，稳定上半身。将重心放在前脚脚跟，比紧缩臀部肌肉更有效果。一开始做时，膝盖弯曲度浅浅即可，再渐渐地接近直角。

作用

紧缩大腿前侧及臀部肌肉，防止臀部下垂。

完美臀形运动

Perfect the shape of the hip

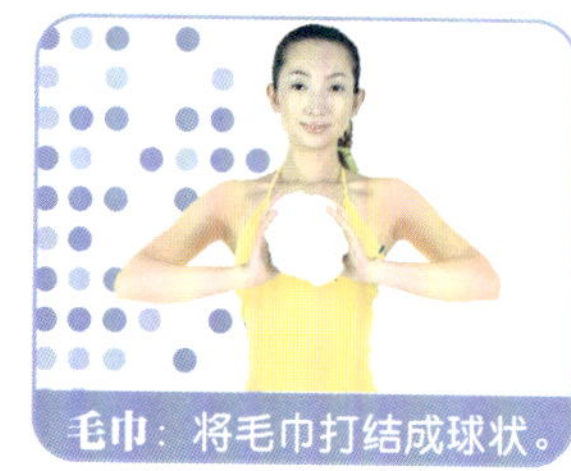

毛巾：将毛巾打结成球状。

1 两脚站开约肩膀宽。脚尖略向外侧张开，单手将毛巾球举高。将毛巾打结成球状。

2 大腿大致和地板平行，膝盖一面弯曲，手腕向后方做大幅度旋转动作，在大腿下方把毛巾球交到另一只手上。

曲影提醒

脊背伸直，膝盖朝脚掌方向做弯曲动作，依毛巾球穿过的角度，膝盖弯曲角度也一样。

4 手腕向后方做旋转动作。

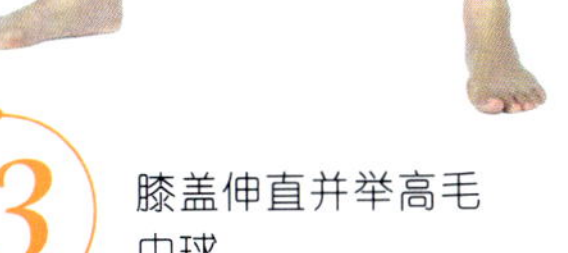

3 膝盖伸直并举高毛巾球。

5 膝盖弯曲，将毛巾交到另一只手上。练习8～10次。

作用

紧实臀肌，美化臀形，灵活关节。

THE TOWEL EXERCISES TO SLIM LEGS

修长美腿毛巾操

美腿，是女人形体美的最后一道曲线。双腿的美，是一种持久之美，女人唯一不被岁月击垮而迅速色衰的是双腿，一双丰盈柔润、洁白如玉的美腿，它可以给女人带来战胜岁月的自信。实际上，东方人普遍都存在身材比例上的问题，双腿匀称的时候臀部往往松、扁、下垂，而臀部挺翘一点吧，双腿就不可一世地飞扬跋扈起来，特别是大腿外侧，极易鼓出两团赘肉，好不恼人。要不就是大腿、小腿肚或脚踝太粗，还有O形腿及X形腿等等……面对这么多的问题，我们该如何解决呢？

以下这套毛巾美腿运动组合，可以使腿部看来更细致，腿形更美好。要使腿部紧缩纤细，先在臀部、大腿的前侧、外侧、内侧、小腿肚、脚腕部分做紧缩肌肉的运动，可重点锻炼你介意的部位。然后配合燃烧脂肪的有氧运动，消除肌肉中的脂肪。最后，利用毛巾来按摩，以促进下半身的血液循环，解除腿部疲劳，并加强运动效果。只要你照着以下的方法坚持锻炼，数月之后，你就可以成为如假包换的美腿佳人哦！

美腿运动

Beautify legs

毛巾的长度：将毛巾打结2次，剩余的地方则扎入空隙中结成球状。

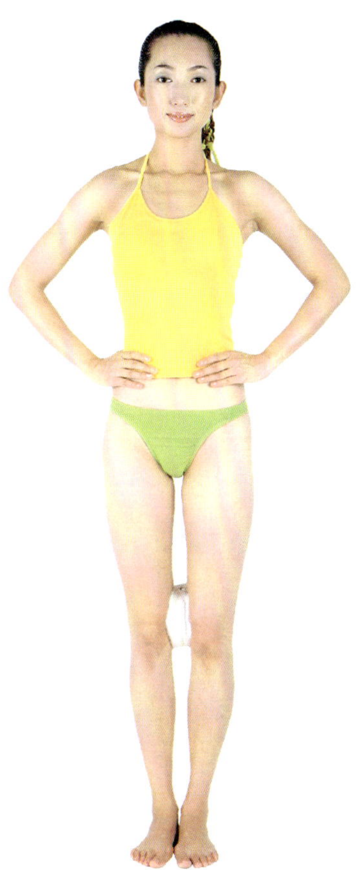

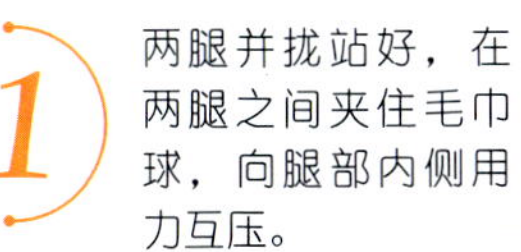

两腿并拢站好，在两腿之间夹住毛巾球，向腿部内侧用力互压。

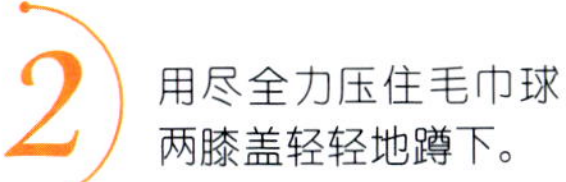

用尽全力压住毛巾球，两膝盖轻轻地蹲下。

3 脚趾朝正前方，两膝往侧边轻轻地弯曲伸展。

曲影提醒

上半身朝正方站立。

4 同样地另一边的膝盖也向旁边弯曲伸展。练习8～10次。

作用

紧缩膝盖周围的肌肉，可加强肌肉的收缩，修饰腿部线条。

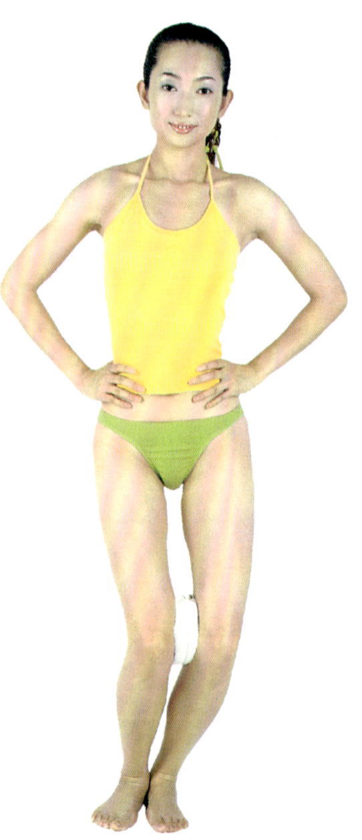

紧缩腿部运动

Strengthen legs

1 两腿并拢站直，将毛巾放在肩膀后方，向左右两边拉开。

2 脚掌朝正前方站立，单腿朝旁边踏出一步，将重心放在微蹲的腿上，微蹲的腿则踩着地板回复到1的状态。

3 另一侧的腿部也同样重做。练习8～10次。

作用

紧缩大腿内侧肌肉，伸长腿部。

曲影提醒

背脊伸直，上半身伸直，膝盖朝着脚尖方向蹲下。腰的重心则放置在蹲下膝盖之上。

大腿内侧伸展运动

Stretch inside thigh

毛巾的长度： 坐在地板上两腿伸直，把毛巾套在右边的脚掌尖端，用左右两手握住毛巾的两端，长度以不勉强自己的体能限度为原则，脚部较僵硬的人使用较长的运动毛巾比较容易操作。

1 把毛巾套在一边的脚掌尖端，用左右两手握住毛巾两端，边吐气边慢慢把脚抬高。保持原状约10秒。

曲影提醒

伸直膝盖及背脊。

2 右手将抬高的左腿用毛巾拉住。左手则按在地板上。

曲影提醒

身体较僵硬的人，上半身向后方倾斜，并把手按在地板上。

3 一边吐气一边将毛巾斜斜地往上拉升，并将上半身慢慢扭转向按在地板上手的方向，保持约10秒。

曲影提醒

身体较僵硬的人，上半身向后方倾斜，并把手按在地板上。

作用

紧缩膝盖周围的肌肉，可加强肌肉的收缩，修饰腿部线条。

塑腿提臀运动

Shape legs and lift hip

1 仰卧于地，双膝屈起，抬起左腿，弯曲右膝，用毛巾套住脚部，双手向下拉毛巾以制造运动阻力。放松，重复做15次，再做两组，然后换腿继续做。

2 保持与上组运动同样的姿势，把毛巾套在左脚趾与脚心处，上勾左脚。左腿向上伸直，双手向下拉紧毛巾，同时向上伸展左足。重复伸展，勾起右脚10次，换腿练习。

作用

去除大腿赘肉，强健小腿肌肉，美化腿部线条。

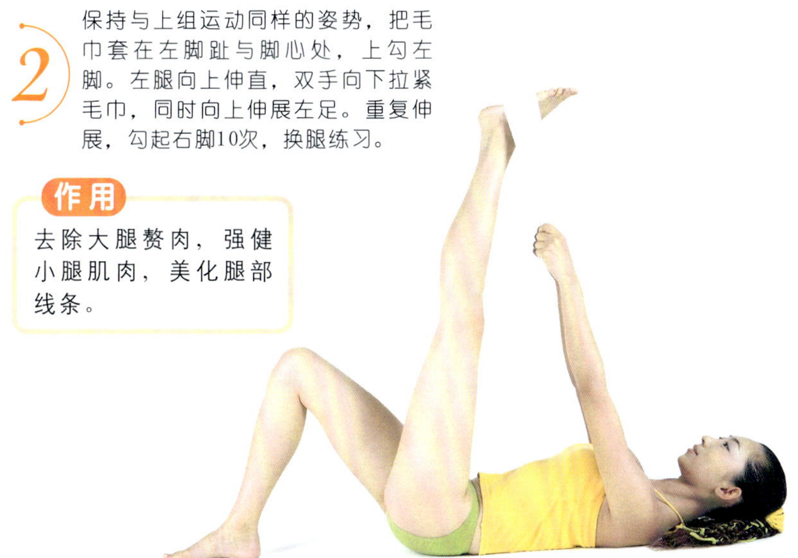

踏步抬腿运动

Mark time and lift legs

毛巾的长度：从胸部中间起向旁边延伸至手指尖的长度。

曲影毛巾操塑身馆

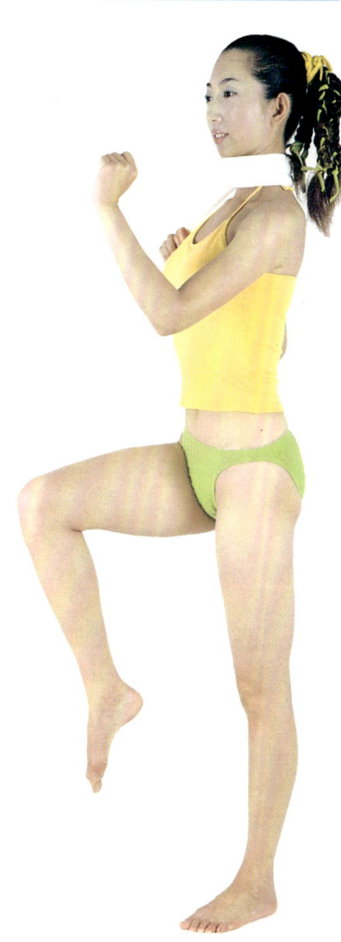

1 2 将毛巾放在脖子后方，用手握住毛巾左右两端，手肘一边晃动，并很有精神地原地踏步。

3 两手肘左右扩大晃动，左侧手肘碰触踏高的右侧膝盖上。

4 有规律地做跳跃运动。

5 另一侧也同样照做。配合踏步运动做5~10分钟。

曲影提醒

抬高膝盖和转动腰部时，试试有规律地做跳跃运动。

作用

紧缩脚踝及小腿的肌肉，长时间运动的话可提升体力。

跳跃运动

Leap

毛巾的长度：把毛巾放在胸部前方，两侧手腕弯曲，约腋窝到腋窝之间的距离。

12

拿起毛巾放在腰部前方，很有精神并且有节奏地做踏步运动。

曲影提醒

脊背挺直。

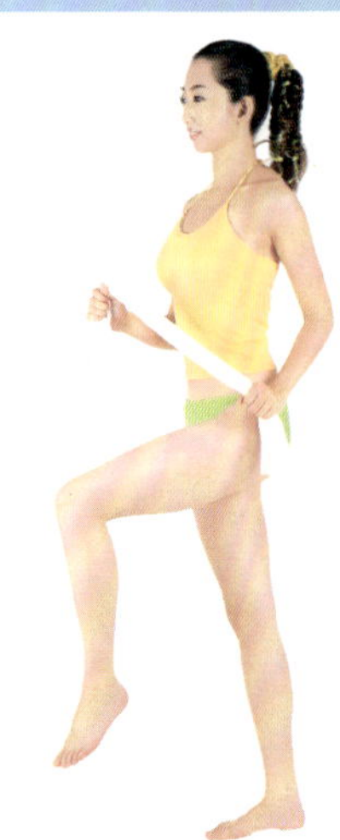

3

轻轻做跳跃动作并打开双腿，利用手腕的力量将毛巾往前推。

4

一边合拢脚一边轻轻地跳跃，将毛巾拉回来。配合踏步运动做5～10分钟。

作用

减少腿部脂肪，增加体力，全身都得到伸展。

腿部曲线修饰运动

Beautify the curves of legs

毛巾的优点：对于身体较硬的人而言，能有很大的帮助，而且易于完成动作。

1 坐在地上，深屈单膝于体侧。

曲影提醒

1.手臂伸直，并压住膝部，尽量防止膝部上抬。

2.用力要适度，不可操之过急。

作用

伸展腿部内侧肌肉，消除腰部疲劳，防止腰痛。

将毛巾套在横向伸直的腿的足尖，用单手握住毛巾，轻轻向身体前面拉，同时，用手臂压住曲膝，防止膝部上抬。换边练习。

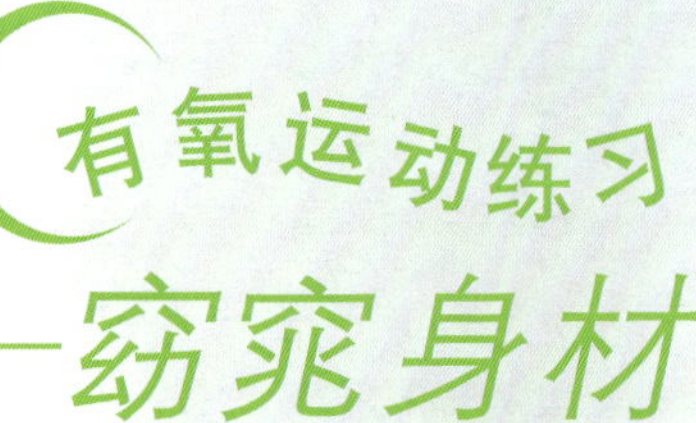

为了减轻体重，紧缩全身肌肉，做燃烧脂肪的有氧运动是不可缺少的，让我们做做缓慢性、且长时间性的踏步、慢跑、跳跃运动吧！一开始做自已够承受的范围（设定在5分钟），能够持续20分钟以上的话效果更好。好，我们开始练习吧!

有氧运动练习一

Aerobics to shape your figure

12

在原地踏步，使用膝盖用力地弹地，很有朝气的挥动手腕。

曲影毛巾操塑身馆

34 踏步动作的变化，将毛巾绕在脖子上，握住毛巾两端，两侧手肘忽上忽下拍打着腋窝部份。并在原地踏步。

有氧运动练习二

Aerobics to shape your figure

胸前握住毛巾两端，膝盖轻轻地弯曲。

重心放在单脚上，并举起一边的手腕。

3 4

回到最初的姿势。另外一侧也同样照做。

有氧运动练习三

Aerobics to shape your figure

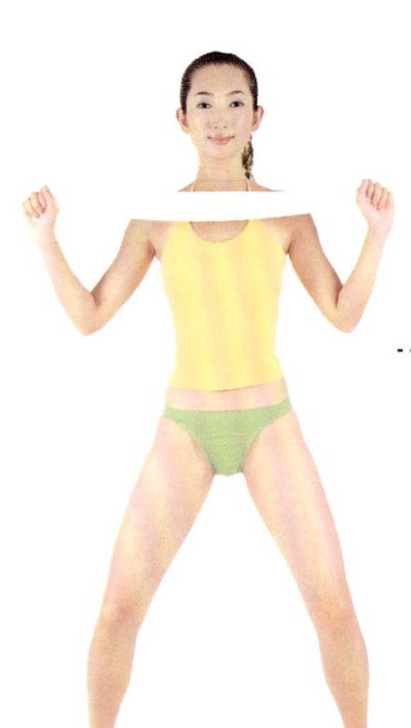

1

在胸部前方握住毛巾的两侧，膝盖轻轻地弯曲。

重心放在单脚上，一边的手腕斜斜地往前伸直。

3 4

回到最初的姿势，另外一边也同样照做。

有氧运动练习四

Aerobics to shape your figure

1 在胸部前方将手腕伸直，重心放在单脚上。

2 将另一方的脚拉进，两侧手肘向后方拉。

曲影毛巾操塑身馆

3 4 回到最初的姿势，另外一侧也同样照做。

有氧运动练习五

Aerobics to shape your figure

1

在胸前伸直手腕，重心放在右脚上。

2

右脚一边伸到斜后方，两边手腕伸向与脚反方向之处。

3 4

回到最初的姿势，另外一侧也同样照做。

有氧运动练习六

Aerobics to shape your figure

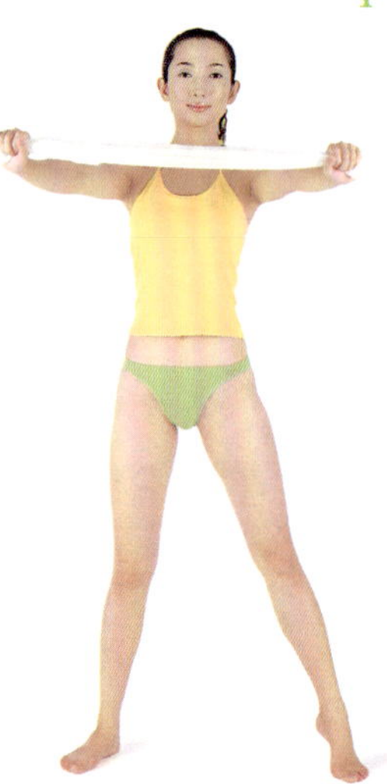

在胸前伸直手腕，重心放在右脚上。

右脚伸到斜后方，右边手腕向前伸直。

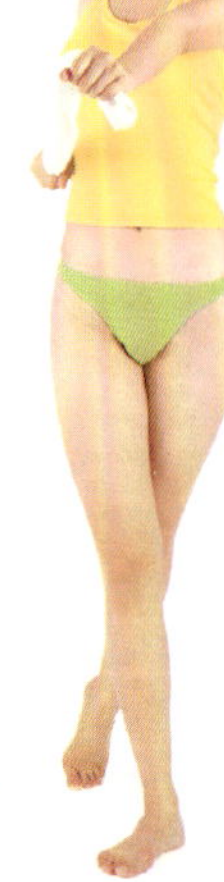

3 4

回到最初的姿势，另外一侧也同样照做。

有氧运动练习七

Aerobics to shape your figure

1 在胸前将手腕伸直，重心在右脚上。

右脚往前踢，左侧手腕斜斜地往前伸直(至右脚抬高的脚尖方向)。

3 4 回到最初的姿势，另外一侧也同样照做。

有氧运动练习八

Aerobics to shape your figure

1

左脚向旁边打开，两边手腕斜斜地往上举。

2

两边手腕斜斜地往下挥动，同方向的膝盖则斜斜地往上举高。

3 4

另一侧也同样照做。

曲影毛巾操塑身馆

QUYING'S KNACKS TO FLATTER YOUR FIGURE

4 美体丝丝入扣

曲影教你另类享『瘦』

现代人工作繁忙，生活紧张，整天困在环境拥挤、空气污染的钢筋水泥森林里，再加上饮食无节制，缺少空间和时间进行运动 ，在种种不利因素影响下，身体素质转差，免疫力下降。要真正解决问题，当然必须多运动来增强体质，但如果配合泡澡、敷膜、饮食等时尚而又简单的瘦身法，更能收到事半功倍的功效。

CK
Calvin Klein

曲线玲珑“浴”美人

How to have a bath to slim your figure

我根据多年的塑身美体经验，倾心打造瘦身美体的独门秘方药材浴，它的原理就是根据不同的中药材，煮熟加热之后，将已经洗干净的身体直接泡入加了药材的浴缸中。它对身体的血液循环或者治病方面有明显的功效。根据中医的理念：药浴可以促进血液循环、新陈代谢，排除身体毒素，只要药方调理得当，就可以达到局部瘦身的效果。瘦身是种享受、是种乐趣，就是要你快快乐乐地变身“S”形女人，轻松享“瘦”一辈子，现在就让我们一起来洗一个舒服的享“瘦”浴吧！

在开始泡澡之前，我要告诉你一个药浴小秘诀：在泡澡的过程里，如果你觉得很无聊，你可以自行按摩你想瘦的部位，这样的按摩动作会加速让皮肤吸收这些中药材。

祛纹泡

材料

茯苓、玉米须、红花、牛膝各3钱。

做法

1. 以上药材稍微冲洗之后，加少许水放入果汁机中打碎后，放入布织包中，扎好袋口。
2. 入锅中加水1000毫升煮20分钟。
3. 将药汁倒入浴缸，加入热水中。
4. 身体洗净，慢慢泡入浴缸。
5. 每次泡5~10分钟后起来，稍微休息后，续泡10分钟。
6. 起身擦干，穿浴袍，喝些水。

使用时机

每日早晚泡一次。

使用周期

每3个月为一个疗程。

曲影提醒

月经期间、怀孕、刚吃饱、饥饿、头晕时勿泡。

Do it!

如果环境不许可的话，也可以使用水桶早晚泡脚，尤其是在膝盖以下。并配合按摩美腿穴道。

三阴交穴：近内肢踝处，内肢踝高点上方四指幅处的骨骼内侧边缘。此穴位能清热、镇静、解毒、安神、调经、美肤，可以治疗月经痛、下肢水肿、皮肤瘙痒。

足三里穴：膝盖骨下方三寸（四指指宽），离胫骨一指宽处。此穴位能健脾胃，调中气，疏风化湿，和肠消滞。

阳陵泉穴：膝盖外侧腓骨小头前下缘的凹陷处。此穴道主要功能有活血去瘀、清热、镇静、止痛，主要治疗膝盖疼痛、偏头痛、筋骨疼痛、下肢不遂。

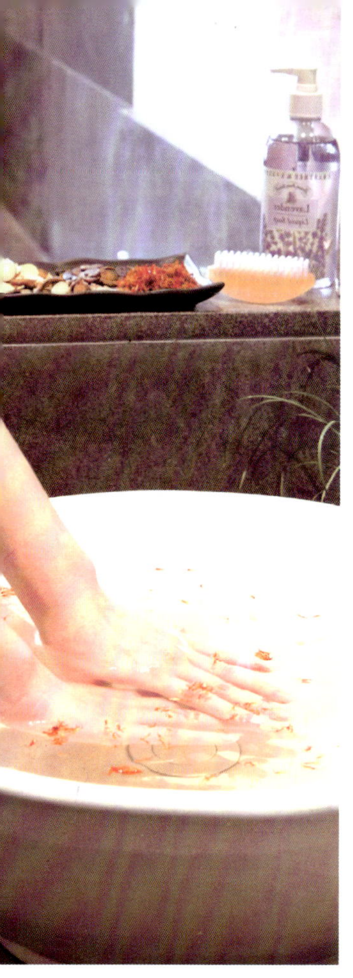

纤纤玉手泡

材料

桂枝、桑枝、红花、延胡索各3钱

做法

1. 以上药材稍微冲洗之后，加少许水放入果汁机中打碎后，放入织布包中，扎好袋口。
2. 入锅中加水1000毫升煮20分钟。
3. 将药汁倒入浴盆，加入热水中。
4. 双手洗净，慢慢泡入。
5. 每次泡5~10分钟，稍微休息后，再继续泡10分钟。
6. 擦干双手，喝些水。

使用时机

每日早晚泡一次

使用周期

每3个月为一个疗程

曲影提醒

月经期间、怀孕、刚吃饱、饥饿、头晕时勿泡。

Do it!

此泡也可光泡患部，平时要多按摩手部相关穴道，如合谷、内关等。

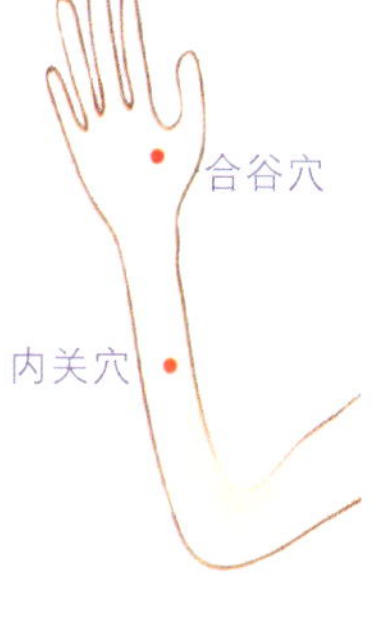

合谷穴：手掌虎口根部，近骨头部位，用手指压迫会有疼痛感。此穴位功效有提神醒脑、能经活络、退烧、行气开窍、通降肠胃、止痛、清热、祛风、调中补气。主治头痛、腹泻、鼻塞、下齿痛、肩酸、感冒发烧、痛经、风疹块、手指紧痛。

内关穴：手腕内侧，手腕横纹中点处往上三指幅处，介于两条筋中央，按压会有酸麻感。此穴道的功效有补益心气、调畅气血、温中散寒、调脾和胃，主治为胃痛、气顺、心悸、止痛。

玫瑰瘦腿浴

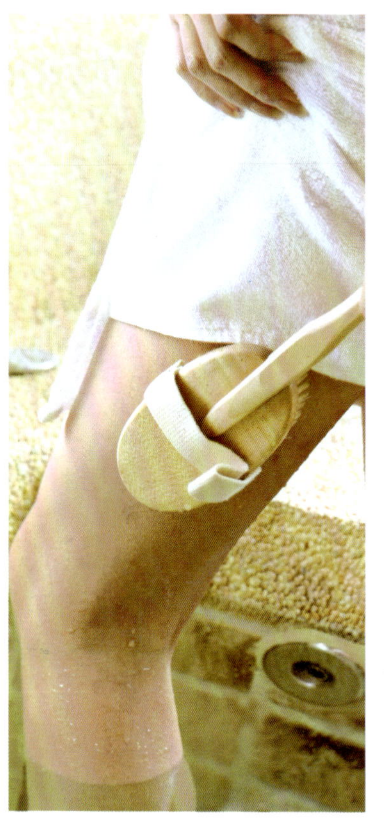

材料

当归3钱、玫瑰3钱、何首乌5钱

做法

1. 以上药材稍微冲洗之后，除玫瑰花外，其余可放入织布包中，扎好袋口。
2. 入锅中加水1000毫升煮20分钟。
3. 将药汁倒入浴缸，加入热水中，撒上玫瑰花。
4. 身体洗净，慢慢泡入浴缸。
5. 每次泡5~10分钟后起来，稍微休息后，续泡10分钟。
6. 慢慢起身擦干，穿浴袍，喝些水。

使用时机

每日早晚泡一次。

使用周期

每3个月为一个疗程。

曲影提醒

月经期间、怀孕、刚吃饱、饥饿、头晕时勿泡。

Do it!

不吃甜品、油腻、辛辣食物，这些食物尤其容易囤积在大腿上，而且效率快速，更可怕的是，形成赘肉后，非常难去除，会让你的大腿变成心中的痛，尤其在大腿侧边的赘肉，通常比较硬，所谓的马鞍腿，就在这边损害您的美丽，所以请你配合泡澡时，特别努力的拍打它，不要客气！每次由5~10分钟开始，每次拍打100~300下，甚至可增加到500下。

玫瑰花

平腹美肤浴

材料

丹参3钱、泽泻3钱、薏仁5钱

做法

1. 以上药材稍微冲洗之后，加少许水放入果汁机中打碎后，放入织布包中，扎好袋口。
2. 入锅中加水1000毫升煮20分钟。
3. 将药汁倒入浴缸，加入热水中。
4. 身体洗净，慢慢泡入浴缸。
5. 每次泡5~10分钟后起来，稍微休息后，续泡10分钟。
6. 起身擦干，穿浴袍，喝些水。

使用时机

每日早晚泡1次。

使用周期

3个月为一个疗程。

Do it!

可配合腹部的按摩，由顺时钟的方向，由内往外，推挤肥肉多处，并揉捏脂肪丰厚处，每次10~20分钟，大约300~500下，泡澡时，于澡盆中进行，并忌吃甜品、油腻、辛辣食物。

绿色体膜——敷出来的美人

The green body mask

现在我再给大家介绍两种具有丰胸和美臀效果的“体膜”。 体膜 是一种肌肤护理方式，将特别调制的原料敷上身体之后，借助按摩，充分让肌肤吸收，达到美体的目的。我经常做的这两种体膜在敷膜时所用的瘦身品完全可以自制而来，天然的蔬果、食品、中药材、精油等都是令身材完美的武器，随手可得的原料，让你轻轻松松就可以调制出适合你的体型和肤质的体膜，下面就让我们一起来给身体做个绿色的营养餐吧！

女皇蜂醒胸膜

材料

蜂王浆一茶匙或丰胸精油、珍珠粉半茶匙、薏仁粉一茶匙、鸡蛋一个。

做法

1. 将全部的材料充分混和，调成糊状。
2. 把调好的胸膜敷于胸部与乳头上。
3. 待15~20分钟后，用温水洗净胸部。

功效

可嫩白柔细乳头乳晕、丰胸、醒乳，并且可防止胸部肌肤老化。

老化橘皮美臀膜

丝瓜一条、黑胡椒适量。

1. 丝瓜连皮洗净后，纵向切半。
2. 黑胡椒置于盘中备用。

美臀手技

于洗澡地将丝瓜沾着黑胡椒，由下往上美化按摩臀部。

使用时机

左右臀各持续按摩两分钟。

使用周期

每周2次。

高"纤"饮品瘦身法

The high fibrous food

减肥是不是总和痛苦联系在一起？别急，细心的我怎能忘记这一点呢。我特别推荐的饮品DIY，含高纤维，有助增进肠胃蠕动，促进新陈代谢、消化及排毒，进而达到瘦身又美容的效果。忙碌的你只要能抽出一点时间，就可以省却节食的辛苦，随手可得的美味饮品，在补充运动后所需能量之余瘦身，只要每天DIY就可以"享瘦"了，这样的好事就让你碰到了噢！

柠檬苦瓜茶

▶ 适用：夏季易口舌生疮，食欲佳者，以及"痘花"兄妹。

▶ 忌用：经期及经前避免食用，食冷品易腹泻者忌用。

▶ 使用方法：隔天使用，大餐前、火气大时可天天饮用。

▶ 材料：苦瓜30克，荷叶、柠檬草各6克。

▶ 做法

1. 荷叶、柠檬草用开水洗净，苦瓜去皮切块。
2. 取1000毫升水和苦瓜一同煮沸，再加入荷叶、柠檬草冲泡10分钟即可。

>瘦身小看板<

苦瓜含的维生素C特别丰富，是黄瓜的14倍，番茄的7倍；荷叶在古代有"荷叶灰服之令人瘦"的说法，能消水肿，清暑生津，还能降血脂、血压；柠檬草对于抑制食欲效果极佳。此茶香味可以降低苦瓜的苦味。此方可代茶饮用，具有清热解毒，利湿的作用，帮助你控制难以抑制的食欲。

荷叶

功效：清暑利湿，升发清阳，散淤止血。

*薄荷奶茶

>瘦身小看板<

薄荷能使口气清香，适合饮食油腻时饮用。此道茶饮也很适合早餐时饮用，对于工作压力大的上班族，有很好的镇定情绪的作用，让你一天都保持好情绪，不再因焦虑而产生过度进食的情形。

适用
饮食过于油腻者。

忌用
无

使用方法
每天饮用。

材料
脱脂牛奶250毫升，干燥薄荷1~2片。

做法
将材料混合加热饮用。

薄荷
功效：疏风散热，清利头目，发汗镇痉，健胃镇痛。

柠檬草茶

瘦身小看板

此方可补充维生素C，帮助消化，且具有镇定神经，抑制食欲的功效。柠檬草一直以来有“芳香草女王”之称，可促进消化和预防贫血。研究表明，柠檬草含有可降低体内脂肪转化为胆固醇的成分，因此可降低胆固醇及预防心脏疾病。而柠檬皮是热门食品，在餐前食用可以促进胰岛素分泌，让你越吃越瘦。

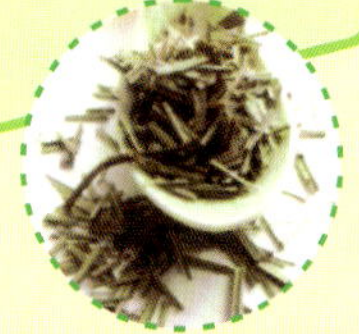

柠檬草

适用

下半身肥胖及食欲佳，尤其是便秘者。

忌用

无

使用方法

每天餐前饮用。

材料

柠檬草1大匙，柠檬皮少许，绿茶1包。

做法

将材料冲成250毫升，代茶饮用。

花粉茶

适用

食欲特别好者及水肿型患者。

忌用

孕妇。

使用方法

5天一疗程，一天1次。每一疗程之间需间隔3天，才可继续下一疗程。

材料

莲子心5枚，带皮冬瓜50克，天花粉15克，苦瓜10克。

做法

将冬瓜和苦瓜先以清水150毫升煮沸，再中入其他材料，等凉后饮用。

>瘦身小看板<

莲子心就是莲子中间青绿色的胚芽，味苦，含莲子碱、异莲心碱等生物碱，且具有黄酮类物质，有极好的降压作用以及促进肠胃蠕动和治疗便秘的作用，除此之外还有清热、安神的效果，能治疗梦多、睡眠品质差等症状。冬瓜性凉味甘，有利水作用，古书中有“瘦人忌”的记载。天花粉能生津止渴，对于降低胃热造的饥饿感十分有效，又在其有通经的作用，所以忌用，否则可能会造成流产。

天花粉

功效：清热生津，清肺化痰。

>瘦身小看板<

此方出自"美食茶水百例经典"，合用玫瑰花、茉莉花、岱岱花有利水消肿的作用；川芎含挥发油、生物碱、有机酸等成分，具有镇静降压等作用，还能使血管阻力降低，用利于对抗心肌缺氧，对于经痛也有很好的疗效。此方疏肝解郁，适用于情绪不稳定，以及月经失调的肥胖型患者。

茉莉花

功效：平肝开郁，理气和中。

▶ 适用

情绪不稳定，月经失调的肥胖型患者。

▶ 忌用

无

▶ 使用方法

晚间服用，连用1个月。若效果不佳，可早晚各饮1杯。

▶ 材料

玫瑰花、茉莉花、岱岱花、荷叶、川芎各10克。

▶ 做法

材料冲入500毫升沸水中，焖15分钟，即可饮用。

三花减肥茶

锦葵茶

▶ 适用

上班族皮肤粗糙，长期便秘者。

▶ 忌用

无

▶ 使用方法

建议长时间待在冷气房的上班族可天天饮用。

▶ 材料

锦葵1/3匙，甜菊叶半大匙，甘菊1/3大匙。

▶ 做法

材料冲入300毫升沸水中，代茶饮用。

>瘦身小看板<

锦葵对呼吸系统有保护作用，对于因二手烟所造成的咳嗽，或是因长时间待在冷气房所造成的皮肤粗糙，十分有疗效；甘菊有利尿及治疗便秘的作用，服用此茶饮一周后，或许体重的改变并不是很明显，但是可以见到皮肤光滑的成效。

锦葵

蒲公英茶

瘦身小看板

对于下半身肥胖和小腿肥胖者效果极佳。在欧洲，蒲公英有“尿床草”之称，因其含有很强的利尿作用，同时含丰富维生素C及铁质，不过因为味道较苦，所以加入甜菊叶及山楂调味，山楂对于降低血脂效果极佳，不过不可以放太多，以免过酸反而造成食欲增加。

蒲公英

功效：清热解毒，消炎散肿，止痛，健胃，催乳。

▶ 适用

水肿型肥胖

▶ 忌用

尽量不要在睡前饮用，胃溃疡患者忌用。

▶ 使用方法

一周为一疗程，每天饮用，节制饮食，约2个疗程后，可见功效。

▶ 材料

蒲公英1/4大匙，甜菊叶1大匙，山楂3片。

▶ 做法

材料冲入1000毫升沸水中，一天内分次饮用。

5 曲影 贴心热线

QUESTION AND ANSWER

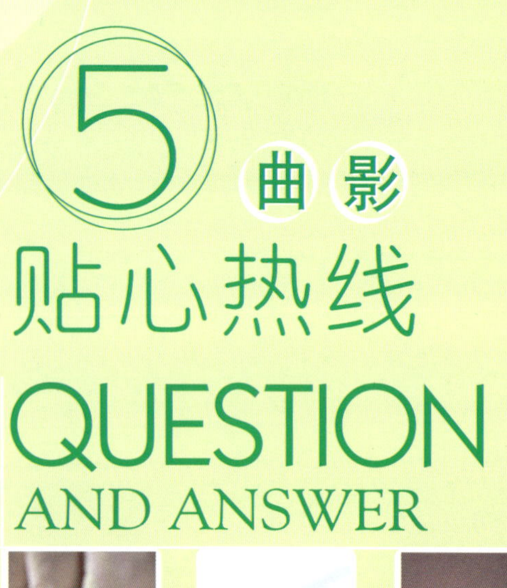

1. “瘦身”与“塑身”有什么不一样？

“瘦身”指的是减轻体重，也就是体重超过标准值的人必须经由饮食控制、运动、生活作息调整来使自己瘦下来；“塑身”顾名思义是雕塑身材的意思，也就是使身上原本的脂肪经过锻炼转变成肌肉，变成健美的身材，体重已达标准，针对身体需要加强的地方如小腹、臀部、大腿等处的重点雕塑。因此“瘦身”会使体重减轻，但“塑身”不会，也可以说必须先瘦身后再塑身。

2. 为了想要瘦下来，所以只挑几种食物吃，会因营养不足生病吗？

人体每天至少需要1000卡路里的能量才能维持正常机能运作，如果长期数个月因想减重而吃得很少，或是专挑热量低的食物吃，使得热量摄取不够，最严重的状况会导致身体细胞因营养不足而转变为癌细胞，这是很可怕的，千万不要因想减肥，选择虽快速但不正确的方式把身体搞坏了。

3. 利用中药减肥有效吗？与西药减肥有何不同？

中医师对于治疗减肥所使用的中药，多以复方方式，根据个人体质调整药方与药材分量，以减低食欲、消除便秘、排除体内多余水分、降低吸收率等方式着手，减肥方式较缓和；且中药是天然药材，副作用少，除减肥效果外也有补身的功效。西药减肥可分为抑食类与排油类药剂，需针对肥胖且食欲佳的人才有疗效，对人体比较容易产生副作用。

4. 能够用断食法来减肥吗？

断食法是一种具有高危险性的减肥行为，如果没有医生的指示的话，千万不要自己在家里进行。断食的原则并不是完全不吃东西，而是摄取最少量的蛋白质，如果有饥饿感的时候，就喝白开水，时间有一天、三天、一周等。断食后的进食，要循序渐进地以稀饭慢慢恢复至平常饮食，否则身体一定会因为太剧烈的变化而受不了。

5. 嘴馋时的零食选择？

首先，我们可以先想一下，是因为肚子饿了才吃，还是只是心里想吃而吃？所以当你嘴馋的时候，停下来想几秒钟，或许你就能够把想吃的欲望压抑下来。如果真的很想吃零食，那么可以在吃零食前，慢慢喝下一杯温开水，然后选择低卡的零食，比如酥打饼干、低卡可乐等。

■ 策　　划：東映文化
■ 设计制作：
■ 中英文编辑：卓文工作室
■ 垂询电话：0755-26740758
■ 网　　址：WWW.EASTDCD.COM（东映文化）
■ 电子邮箱：SZdongying@21cn.net
■ 服装提供：迪恩（国际）健身服饰 0755-81836593